D0717461

au rendez-vous
des saveurs

Huile d'olive

au rendez-vous
des saveurs

Huile d'olive

Clare Gordon-Smith

adaptation française de
Chantal Bouvÿ

photographies de
James Merrell

Gründ

Librairie Gründ – 60, rue Mazarine – 75006 Paris

Adaptation française de Chantal Bouvÿ
Texte original de Clare Gordon-Smith
Secrétariat d'édition : Anne Terral

Première édition française 1997 par Librairie Gründ, Paris

ISBN : 2-7000-6009-1
Dépôt légal : août 1997
Édition originale 1996 par Ryland Peters & Small
sous le titre *Flavouring with Oil*

PAO : Avant Page, Paris
(polices utilisées : NimbuSanNovT et New Baskerville)
Imprimé à Hong Kong

Remarque :
Les mesures des cuillerées correspondent à :

1 cuillère à café = 5 g
1 cuillère à soupe = 15 g

Les fours doivent être préchauffés à la température indiquée à chaque recette. Si votre four comporte une ventilation, réglez le temps de cuisson et la température suivant les instructions du fabricant.

L'**huile d'olive** présente l'avantage d'être délicieuse au palais et bonne pour la santé. Elle se déguste exactement comme le vin : les différentes huiles sont versées dans des petits bols blancs et servies accompagnées de morceaux de pain. Les **goûteurs** trempent le pain dans chacune des huiles et comparent leurs saveurs. Des étiquettes apposées sur les bouteilles d'huile indiquent le pays ou la région d'origine ainsi que la catégorie de l'huile. Celle-ci est déterminée par la façon dont l'huile est récoltée et pressée. En termes de qualité, les plus recherchées sont les huiles récoltées à la main avec première pression à froid. La meilleure huile est **extra-vierge**, avec une acidité inférieure à 1%. Elle sert le plus souvent comme agent aromatique, en assaisonnement ou versée en filet au moment de servir sur des plats cuisinés, de façon à ce que son goût ne soit pas altéré par la chaleur. Les meilleures huiles d'olive sont les plus **raffinées**. Les huiles de qualité inférieure servent pour cuisiner et faire la mayonnaise. Cependant, l'aïoli, mayonnaise à l'ail de Provence, doit être fait avec de l'huile d'olive extra-vierge.

les saveurs de
*l'***Huile d'olive**

Les **olives** poussent dans les pays méditerranéens, ainsi qu'en Afrique du Sud, en Australie et en Californie. Les gros producteurs d'huile sont l'Égypte, l'Italie, la Grèce et la France. Chaque huile a une saveur propre à son pays d'origine, qui se nuance et se teinte en fonction de la région de provenance, du climat, du sol, et de la variété de l'olive. L'huile d'olive française, très douce, est de qualité supérieure bien qu'étant produite en petite quantité. L'huile de Grèce est **parfumée**, les huiles du Péloponèse et de Crète sont très recherchées. L'Espagne, dont l'huile est très **fruitée**, est le plus grand producteur d'huile. L'huile italienne de qualité vient de Ligure, de Toscane, d'Ombrie et d'Apulie. L'huile d'olive californienne est fruitée et douce. Les bouteilles d'huile d'olive australiennes ont des étiquettes, indiquant la variété des olives, le climat, l'aspect du terrain et l'historique des arbres. Chypre produit de **délicieuses** huiles d'olive ainsi qu'Israël, le Liban, la Turquie, la Syrie, la Tunisie, le Portugal, le Maroc, l'Algérie et l'Afrique du Sud, dont les huiles sont consommées à l'intérieur de leur pays d'origine.

Entrées

Soupe froide à la tomate
et au pistou

Une soupe idéale à préparer au cœur de l'été avec des tomates bien mûres. Servez-la avec des croûtons à l'ail : coupez les morceaux de pain grossièrement, faites-les dorer avec de l'ail dans de l'huile d'olive, puis égouttez-les.

Mettez les tomates dans un mixeur et réduisez-les en purée. Passez la purée dans une passoire au-dessus d'un bol, en laissant passer le plus de jus et de pulpe, afin qu'elle ait une consistance crémeuse. Si nécessaire, rajouter de l'huile d'olive et du jus de tomate. Mélangez tous les ingrédients restants. Placez le bol dans un bol plus grand et mettez des glaçons dans l'espace entre les deux bols. Versez de l'eau froide sur les glaçons et laissez refroidir 2 h environ pour que les saveurs s'épanouissent. Servez dans des assiettes à soupe, dans lesquelles vous ajouterez le pistou, des lamelles de poivrons jaunes grillés, un filet d'huile d'olive et un glaçon, accompagnés de croûtons aillés.

1 kg de grosses tomates bien mûres

3 cuil. à soupe d'huile d'olive

15 cl de jus de tomate

7 cm de concombre finement détaillé

1 poivron jaune grillé, pelé, épépiné et haché

1 petit oignon rouge finement émincé

1 cuil. à soupe de vinaigre balsamique

2 cuil. à soupe de basilic frais écrasé

sel et poivre du moulin

Pour présenter

pistou (voir page 21)

poivrons jaunes grillés

huile d'olive extra-vierge

glaçons

croûtons à l'ail

Pour 4 personnes

Soupe toscane de fèves
au pistou

Une soupe rustique au délicieux pistou, ajouté juste avant de servir. Si ce n'est pas la saison des fèves, ou si vous manquez de temps, remplacez-les par des cannellinis ou des flageolets.

Faites tremper les haricots blancs secs toute une nuit dans de l'eau froide. Le lendemain, égouttez-les, mettez-les dans une grande casserole, recouvrez-les d'eau, portez à ébullition et laissez mijoter doucement jusqu'à ce que les haricots soient tendres (30 min environ selon la maturité des haricots). Ajoutez un peu de sel vers la fin. Pour faire la soupe, faites chauffer l'huile d'olive dans une grande casserole en fonte, ajoutez l'oignon et réchauffez à feu moyen jusqu'à ce que les oignons deviennent translucides et tendres. Ajoutez le chou et faites frire quelques minutes. Versez le bouillon de légumes, portez à ébullition et faites mijoter, à feu couvert, pendant 20 min environ. Ajoutez les fèves et les courgettes et laissez mijoter encore 10 min. Mélangez-y l'origan et assaisonnez avec du sel et du poivre du moulin. Ajoutez les haricots blancs secs avec leur jus de cuisson et laissez mijoter le tout, 5 min environ. Servez la soupe dans 4 grandes assiettes à soupe réchauffées, décorez à votre gré avec une cuillère à soupe de pistou et un brin de basilic, et saupoudrez de parmesan émietté.

125 g de haricots blancs secs (cannellini)

15 cl d'huile d'olive

1 oignon finement émincé

$^{1}/_{4}$ de chou coupé en fines lamelles

1 l de bouillon de légumes

250 g de fèves (500 g avec leurs cosses)

2 courgettes détaillées en dés

2 cuil. à soupe de feuilles d'origan fraîches

sel et poivre du moulin

Pour présenter

4 cuil. à soupe de pistou (voir page 21)

4 brins de basilic (facultatif)

4 cuil. à soupe de parmesan fraîchement émietté

Pour 4 personnes

une **soupe rustique** à l'italienne, parfumée au pistou

Salade au chèvre
et aux lentilles de Bordeaux

Les lentilles de Bordeaux ont un goût prononcé et restent entières et fermes une fois cuites. Leur saveur contraste bien avec celle, plus forte, du fromage de chèvre. Les lentilles du Puy, de couleur plus sombre, se trouvent facilement dans les supermarchés de qualité.

Mettez les lentilles dans un grand bol et recouvrez-les d'eau froide. Ajoutez l'ail et la moitié du persil, portez à ébullition et laissez mijoter pendant 10 min. Ajoutez l'oignon, le céleri, une pincée de sel et laissez mijoter entre 10 et 15 min, en ajoutant un peu d'eau chaude si nécessaire, jusqu'à ce que les lentilles soient cuites, tout en étant fermes. Ôtez le persil et l'ail, versez l'huile d'olive sur les lentilles encore tièdes et remuez. Émiettez le fromage de chèvre et mélangez-le aux lentilles. Ajoutez la ciboulette hachée, le jus de citron, le reste du persil haché, avec le sel et le poivre du moulin. Pour présenter, placez les feuilles de salade sur chaque assiette, versez-y le mélange de lentilles et de fromage de chèvre et garnissez avec des tomates cerises, coupées en quartiers.

125 g de lentilles de Bordeaux ou du Puy

1 à 3 gousses d'ail

1 bouquet de persil plat

1 oignon rouge, finement coupé en dés

1 branche de céleri, détaillée en dés

1 pincée de sel

25 cl d'huile d'olive extra-vierge

250 g de fromage de chèvre

1 bouquet de ciboulette, hachée

5 cl de jus de citron

sel et poivre du moulin

Pour présenter

feuilles de salade, type roquette, épinards, cresson ou mâche

250 g de tomates cerises

sel et poivre du moulin

Pour 4 personnes

une salade **très simple**

grâce à l'huile de truffe qui

Poireaux-pommes de terre
à l'huile de truffe

750 g de pommes de terre nouvelles

500 g de jeunes poireaux

2 à 4 cuil. à soupe de persil plat haché

3 cuil. à soupe d'huile d'olive

sel et poivre du moulin

4 cuil. à soupe d'huile de truffe, pour servir

Pour 4 personnes

L'huile de truffe fait tout le charme de cette recette. Elle est aussi un régal sur les pâtes. Achetez-la en petites bouteilles car elle vous durera des années. Les petits poireaux sont du plus bel effet dans une salade, mais, à défaut, utilisez des poireaux habituels.

Faites cuire les pommes de terre dans de l'eau bouillante salée pendant 20 min jusqu'à ce qu'elles soient bien tendres. Coupez les poireaux en morceaux de 2,5 cm si ce sont de gros poireaux. Lavez-les et faites-les cuire dans de l'eau bouillante salée pendant 5 à 7 min jusqu'à ce qu'ils soient tendres. Mettez le persil plat, l'huile d'olive, le sel et le poivre dans un bol. Égouttez les pommes de terre, coupez-les en tranches épaisses, et ajoutez-les à la sauce quand elles sont encore tièdes, de façon à ce qu'elles s'imprègnent de toutes les saveurs. Égouttez les poireaux et ajoutez-les aux pommes de terre. Goûtez et rectifiez l'assaisonnement. Pour présenter, arrosez d'un filet d'huile de truffe.

mais **à l'effet garanti**

ajoute une **touche de luxe !**

Œufs de cailles frits
sur lit de salade aux lardons

Pour cette recette, vous pouvez aussi faire des œufs pochés. En été, les fleurs de capucine pimentent joliment cette salade.

une salade mélangée

4 cuil. à soupe d'huile d'olive

8 œufs de caille

4 tranches de bacon pas trop maigre découpées en lanières

2 cuil. à soupe de vinaigre de vin rouge

1 cuil. à café de moutarde en grains

sel et poivre du moulin

Pour 4 personnes

Disposez les feuilles de salade sur les 4 assiettes de service. Dans une poêle, faites frire les 4 œufs. Déposez-les sur les feuilles de salade. Répétez l'opération pour les œufs restants. Faites frire les tranches de bacon dans la poêle jusqu'à ce qu'elles soient bien croustillantes, puis ajoutez-les à la salade. Faites la vinaigrette et versez-la sur les œufs et la salade. Assaisonnez avec du sel et du poivre du moulin. Servez avec du pain croustillant.

Bruschette
aux tomates et aux olives

Un parfait amuse-gueule — aussi appétissant qu'une petite pizza — qui fait une entrée parfaite pour un déjeuner d'été..

4 fougasses ou tranches de baguette

pistou maison (voir ci-contre)

175 g de tomates cerises pelées

50 g d'olives noires dénoyautées et coupées en petits morceaux

2 à 4 tranches de mozzarella

huile d'olive pour décorer

Pour 4 bruschette

Coupez les fougasses en deux et toastez-les légèrement. Étalez une bonne cuillerée de pistou, puis disposez dessus les tomates et les olives. Ajoutez une tranche de mozzarella sur chaque moitié, arrosez d'un filet d'huile d'olive et placez sous le gril quelques minutes. Décorez de brins de basilic frais et servez.

Tapenade

Utilisez si possible des olives et de l'huile d'olive provenant de la même région, pour intensifier la saveur fruitée de l'huile.

175 g d'olives noires

2 cuil. à soupe de câpres

4 filets d'anchois, rincés et hachés

2 gousses d'ail, écrasées

15 cl d'huile d'olive

Pour présenter

1 baguette

rondelles de tomates grillées

Pour 4 personnes

Dénoyautez et hachez les olives, puis mettez-les dans un mixeur avec les câpres, les anchois et l'ail, et broyez le tout. Ajoutez petit à petit les olives jusqu'à former une pâte facile à étaler. Coupez la baguette en tranches et toastez-les, étalez la tapenade et servez avec des tranches de tomate grillées.

Pistou maison

125 g de feuilles de basilic frais

25 g de pignons de pin

25 g de parmesan frais rapé

15 cl d'huile d'olive

sel

Pour 30 cl

Même si l'on trouve très facilement du pistou tout prêt, il n'est jamais aussi bon que celui que l'on fait maison. Si vous avez l'occasion de vous procurer du basilic frais, essayez cette recette – c'est une révélation !

Mettez tous les ingrédients dans le bol d'un mixeur et réduisez-les en une purée épaisse, en ajoutant un peu plus d'huile si le mélange est trop épais. Ajoutez du sel. Mettez le mélange dans un bol, et versez une fine couche d'huile sur le dessus. Gardez au réfrigérateur jusqu'à consommation.

Huile parfumée

huile d'olive extra-vierge

Arômes

au choix :

1 brin de romarin

2 brins de thym

1 cuil. à soupe de grains de poivre

2 brins de laurier

2 lamelles de zeste de citron ou 1 cuil. à soupe de piments séchés

Confectionner sa propre huile parfumée est un jeu d'enfant. Faites-en en petites quantités, conservez-la dans le réfrigérateur, et consommez-la rapidement. Utilisez toute jolie bouteille qui ferme, et stérilisez aussi bien les bouteilles que les bouchons.

Si vous utilisez des herbes, lavez-les soigneusement avant usage. Versez l'huile dans une casserole et chauffez-la à feux doux avec les herbes ou autres ingrédients aromatiques. Versez l'huile chaude dans les bouteilles stérilisées, puis les herbes réchauffées ou les ingrédients aromatiques. Gardez au réfrigérateur et consommez dans les 24 h.

De gauche à droite : bruschette avec artichauts marinés (recette p. 26), tapenade (p. 20) et pistou maison (p. 21). À droite : bruschette avec pistou et avec tomates et olives (recette p. 20 - voir aussi au dos du livre).

Asperges grillées
avec salade aux croûtons

500 g d'asperges

de l'huile, pour badigeonner

2 cuil. à soupe de vinaigre balsamique, pour servir

Salade aux croûtons

75 g de bon pain (au levain ou de campagne)

13 cl de vinaigre de vin blanc

1 œuf dur, coupé en morceaux

1 bouquet de persil plat, grossièrement haché

50 g de grosses câpres ou, à défaut, de petites câpres au vinaigre

sel et poivre du moulin

15 cl d'huile d'olive extra-vierge

Pour 4 personnes

Les Italiens utilisent le pain trempé dans l'huile ou le vinaigre comme base pour faire des sauces ou des soupes. Les asperges grillées gardent leur pointe croquante à l'intérieur. Les grosses câpres sont délicieuses si vous pouvez vous en trouver mais sinon, les câpres ordinaires conviennent très bien.

Pour faire la salade, coupez le pain en morceaux et mélangez-le avec la moitié du vinaigre jusqu'à ce qu'il soit bien mou. Essorez et mélangez avec l'œuf, le persil, les grosses ou les petites câpres, le sel et le poivre. Faites chauffer l'huile et le reste du vinaigre de vin dans une casserole, puis ajoutez-y le pain au vinaigre. Réservez et gardez au chaud pendant que vous cuisez les asperges. Faites chauffer la plaque du four en position gril, après l'avoir badigeonnée d'huile d'olive. Faites griller les pointes d'asperges sur toutes les faces jusqu'à ce qu'elles soient légèrement racornies et brunes. Ou alors, mettez les asperges dans un plat à rôtir et faites-les cuire dans un four préchauffé à 200 °C, th. 6, pendant 5 à 7 min environ jusqu'à ce qu'elles soient brunes. Disposez sur une assiette de service préalablement chauffée, saupoudrez de salade au pain chaud, ajoutez un filet de vinaigre balsamique, et servez aussitôt.

Jeunes artichauts
marinés dans l'huile d'olive et le citron

Ces délicieux artichauts peuvent être cuisinés à l'avance et conservés dans des bocaux. Servez-les en salade, ou sur des bruschette, ou encore en hors-d'œuvre avec des tranches de salami.

Pelez la couche externe des queues d'artichauts et coupez les feuilles avec un couteau ou des ciseaux (les artichauts jeunes et tendres n'ont pas de paille). Brossez toutes les surfaces coupées avec un peu de jus de citron pour éviter qu'elles ne noircissent. Placez-les dans une sauteuse au couvercle parfaitement adapté, ajoutez le jus de citron, les feuilles de laurier, les grains de poivre, le persil, l'huile d'olive, le sel marin et juste assez d'eau pour les couvrir. Portez à ébullition et laissez mijoter pendant 10 à 15 min jusqu'à ce que les artichauts soient tendres. Laissez mariner au réfrigérateur pendant au moins 24 h. Une fois prêts à servir, égouttez-les et gardez le liquide pour servir comme vinaigrette. Coupez les artichauts en deux, déposez les feuilles d'épinards ou de moutarde sur le toast, posez dessus les demi-artichauts et versez par-dessus un peu de la marinade.

1 kg de jeunes artichauts

le jus de 3 citrons

3 feuilles de laurier

10 grains de poivre

1 bouquet de persil plat, haché

15 cl d'huile d'olive

sel marin

Pour présenter

250 g de feuilles d'épinards jeunes ou de feuilles de moutarde

4 tranches de pain au levain, toastées

Pour 4 personnes

à servir comme **hors-d'œuvre**, sur des bruschette, ou en salade avec du pain grillé

Fromages de chèvre
marinés à l'huile d'olive

Dégustez vos fromages grillés sur des toasts ou aux herbes pour accompagner des pâtes.

Mettez les fromages de chèvre entiers dans un bocal en verre ou dans un pot de grès. Recouvrez-les d'huile d'olive, ajoutez du sel, puis les olives si vous le souhaitez. Faites blanchir l'ail, le piment, les herbes, le poivre et le zeste de citron dans de l'eau bouillante pendant 1 min, égouttez puis ajoutez-les aux fromages. Couvrez et laissez la marinade au réfrigérateur pendant 2 jours avant de consommer dans un délai d'une semaine.

500 g de petits fromages de chèvres, ou des fromages moyens coupés en quatre

60 cl d'huile d'olive extra-vierge

75 g d'olives noires dénoyautées (facultatif)

4 gousses d'ail

une sélection de :
1 petit piment rouge
2-3 brins de thym ou de romarin frais
2 feuilles de laurier
et 1 cuil. à soupe de grains de poivre

le zeste de 1 citron

sel marin

Pour 2 bocaux de 30 cl

Champignons et anchois
à la polenta frite

On peut acheter la polenta toute faite, ou la préparer selon la recette ci-dessous. Vous pouvez aussi utiliser des tranches de fougasse, arrosées d'un filet d'huile d'olive et cuites au four jusqu'à ce qu'elles soient croustillantes.

Mettez la polenta dans une casserole, ajoutez l'eau bouillante et cuisinez en suivant les instructions du paquet. Une fois prête, versez-la dans une casserole profonde et laissez-la prendre pendant 5 min environ, puis coupez-la en morceaux que vous faites dorer dans l'huile. Rincez les bolets, laissez-les tremper dans de l'eau chaude pendant 20 min, puis égouttez-les (mais gardez l'eau des champignons) dans du papier absorbant et hachez-les grossièrement. Faites chauffer l'huile dans une poêle, et faites revenir l'ail pendant quelques minutes jusqu'à ce qu'il soit transparent. Ajoutez les bolets et faites-les sauter quelques minutes. Ajoutez le xérès, les anchois hachés et le liquide dans lequel les bolets ont trempé. Portez à ébullition, et laissez mijoter pendant 5 min environ. Retirez les champignons du feu, puis faites bouillir la sauce et faites-la réduire jusqu'à obtenir entre 4 et 6 cuil. à soupe de sauce. Déposez les cuillerées du mélange sur la polenta chaude, nappez de sauce et saupoudrez d'origan frais.

comme plat principal ou en entrée,

à préparer et **plein de saveurs**

8 morceaux de polenta faits maison (voir ci-contre)

125 g environ de bolets

3 cuil. à soupe d'huile d'olive extra-vierge

1 gousse d'ail, écrasée

1 cuil. à soupe de xérès sec

50 g d'anchois à l'huile d'olive, finement hachés

sel marin et poivre du moulin

origan frais haché, pour servir

Polenta frite

125 g de polenta pré-cuite

1/4 l d'eau bouillante

huile d'olive, pour friture

Pour 4 personnes

Plats principaux

Thon grillé
aux oignons rouges

La marinade libère toutes les saveurs du poisson. Cette recette convient très bien à un barbecue l'été, mais vous pouvez obtenir le même résultat en utilisant la grille du four.

4 steaks de thon

15 cl d'huile d'olive

sel et poivre du moulin

des quartiers de citron, pour servir

Sauce persillée

1 grand bouquet de persil plat, grossièrement haché

13 cl d'huile d'olive

le jus et le zeste finement râpé de 1 citron

sel et poivre du moulin

Salade d'oignons rouges

3 oignons rouges, émincés

2 cuil. à soupe d'huile d'olive extra-vierge

1 cuil. à soupe de vinaigre balsamique

3 cuil. à soupe de persil plat finement haché

sel et poivre du moulin

Pour 4 personnes

Pour faire la sauce, mélangez le persil avec l'huile d'olive, le jus et le zeste du citron, du sel et du poivre du moulin. Réservez. Pour faire la salade, mettez les oignons émincés dans un plat, arrosez d'huile d'olive et de vinaigre balsamique, saupoudrez de persil et assaisonnez. Réservez. Badigeonnez les steaks de thon à l'huile d'olive. Faites chauffer le four en position gril et, quand il est très chaud, faites rapidement griller les steaks de thon des deux côtés, puis laissez-les cuire pendant 5 min environ. Répartissez la salade d'oignons sur 4 assiettes avec le thon sur le côté. Déposez une bonne cuillerée de sauce persillée sur chaque steak de thon, et servez avec les quartiers de citron.

Morue grillée

à la tapenade

La saveur corsée de la tapenade convient très bien à la morue ou à tout autre poisson qui reste ferme à la cuisson, comme les filets de haddock.

4 steaks de morue de 125 g environ chacun

125 g d'olives vertes

1 cuil. à soupe de câpres au vinaigre

1 bouquet de persil plat haché

8 filets d'anchois

3 cuil. à soupe d'huile d'olive

sel et poivre du moulin

semoule de couscous, pour servir

Pour 4 personnes

Mettez les steaks de morue dans un plat à rôtir. Mélangez les olives avec les câpres et le persil plat. Déposez ce mélange sur les steaks de morue. Placez deux filets d'anchois en croix au-dessus de chaque steak, versez dessus l'huile d'olive et assaisonnez avec le sel et poivre du moulin. Faites cuire dans un four préchauffé à 200 °C, th. 6, pendant 20 min jusqu'à ce que le poisson soit blanc et opaque. Servez avec de la semoule.

Filet de bœuf grillé
aux olives, tomates et salade roquette

Une recette extrêmement simple, alliant saveur et bon goût. Le bœuf peut être grillé sur un gril en fonte sur le feu, ou très rapidement, au gril dans un four très chaud.

Faites des entailles dans le bœuf et insérez-y les gousses d'ail. Versez dessus l'huile d'olive et saupoudrez de poivre du moulin. Placez sous le filet les feuilles de laurier et laissez reposer ainsi pendant quelques minutes. Mettez les feuilles de la salade roquette dans un saladier, ajoutez les tomates et les olives. Versez un filet d'huile d'olive sur l'ensemble. Faites chauffer un gril en fonte sur le feu jusqu'à ce qu'il soit très chaud. Faites-y cuire le bœuf avec le laurier pendant 5 min environ de chaque côté, selon la cuisson désirée. Si vous préférez le cuire au four, mettez-le dans un four préchauffé à 200 °C,th. 6, pendant 10 min pour une viande saignante, 15 min si vous le voulez à point, et 20 min si vous le préférez bien cuit. Retirez les feuilles de laurier et recouvrez la viande d'un couvercle, pendant 5 min, puis coupez-la en tranches épaisses. Disposez les feuilles de salade roquette sur chaque assiette, déposez dessus les tranches de viande, ajoutez les tomates et les olives noires, puis parsemez de persil haché et de sel marin, et enfin arrosez d'un filet d'huile d'olive.

500 g de filet de bœuf

4 gousses d'ail, fendues dans la longueur

15 cl d'huile d'olive

4 feuilles de laurier

sel et poivre du moulin

Pour présenter

1 bouquet de feuilles de roquette

4 belles tomates mûres pelées et détaillées en tranches

1 bonne poignée d'olives noires, parfumées si possible aux herbes de provence

de l'huile d'olive extra-vierge de Provence, de préférence

1 cuil. à soupe de persil plat haché

Pour 4 personnes

Daube d'agneau
à la provençale

Voici un plat facile et rapide à préparer, au goût du jour, qui est un des grands classiques de la cuisine méridionale. Pour une saveur authentique, utilisez de l'huile de Provence, si possible.

Mettez l'agneau dans un plat peu profond. Mélangez les ingrédients de la marinade et versez le mélange sur la viande. Placez au réfrigérateur une nuit ou 2 jours, en fonction du temps dont vous disposez. Retirez du réfrigérateur 1 h avant de cuisiner pour que la viande soit à température ambiante. Retirez l'agneau de la marinade et séchez-le dans du papier absorbant. Réservez la marinade. Faites chauffer l'huile d'olive dans une sauteuse et faites-y dorer la viande de tous côtés. Transférez la viande dans une casserole, saupoudrez de farine et du jus de la poêle, mélangez et faites cuire environ 1 minute, puis ajoutez le cognac. Portez à ébullition, retirez du feu et versez le cognac sur la viande, dans la casserole. Ajoutez la marinade et le bouillon, et si nécessaire, de l'eau pour couvrir la viande. Assaisonnez, remettez sur le feu, et faites reprendre l'ébullition. Transférez le tout dans un four préchauffé et laissez cuire doucement à 170 °C, th. 3, entre 1h et 1h 30. Servez avec des flageolets et de la purée à l'huile d'olive.

6 gros jarrets d'agneau entiers ou un gigot d'agneau de 1,5 kg environ, découpé en tranches épaisses.

3 cuil. à soupe d'huile d'olive

2 cuil. à soupe de farine

15 cl de cognac

30 cl de bouillon de légumes ou d'agneau

sel et poivre du moulin

Marinade

4 gousses d'ail

2 carottes

30 cl de vin rouge

2 brins de thym

2 brins de persil

2 zestes d'orange

4 cuil. à soupe d'huile d'olive

Pour 6 personnes

Poulet mariné
sur salade d'avocats et d'épinards

Pour donner un bon goût à cette recette toute simple, prenez un poulet fermier (comme pour toute recette au poulet !). Servez ce plat chaud ou froid, à votre convenance, avec une belle salade.

Mettez tous les morceaux de poulet à plat dans un plat allant au four, mélangez les ingrédients restants et versez le mélange sur le poulet. Laissez mariner au réfrigérateur pendant 30 min minimum. Faites cuire le poulet mariné au four à 200 °C, th. 6, pendant 20 min, ou jusqu'à ce que le jus jaillisse du poulet quand on le perce dans sa partie la plus charnue. Pour faire la salade, faites blanchir les haricots dans l'eau bouillante et refroidir dans de l'eau glacée. Au moyen d'une cuillère à café, prélevez des petites boules d'avocat et mettez-les dans un saladier avec les haricots verts, la salade et les feuilles d'épinard. Mélangez l'huile et le vinaigre, ajoutez du sel et du poivre du moulin, versez cette vinaigrette sur la salade et servez. Servez le poulet avec des pommes de terre nouvelles, accompagné de la salade d'avocats.

6 morceaux de poulet fermier

le jus de 1 citron

15 cl d'huile d'olive vierge

75 g d'olives vertes

1 cuil. à soupe de câpres au vinaigre

1 feuille de laurier

4 brins de romarin

Salade à l'avocat et aux épinards

125 g de haricots verts

1 avocat pelé

1 batavia ou 1 laitue

125 g de feuilles d'épinards tendres

15 cl d'huile d'olive extra-vierge

5 cl de vinaigre balsamique

sel et poivre du moulin

Pour 4 à 6 personnes

un plat tout simple

pour un dîner à la bonne franquette

Blancs de poulet
à l'huile de romarin

L'huile de romarin est merveilleusement parfumée. Vous pouvez vous en servir pour faire frire ou rôtir les aliments ainsi qu'en vinaigrette pour des salades et des légumes cuits à la vapeur. Servez ce plat avec des pommes de terre nouvelles entières, dorées dans l'huile d'olive et l'ail, saupoudrées de sel marin, puis cuites au four en même temps que le poulet.

4 blancs de poulet

4 tranches de jambon de Westphalie

Huile de romarin

15 cl d'huile d'olive

6 brins de romarin

3 gousses d'ail

Farce à la pancetta

125 g de pancetta, (lard de poitrine roulée) finement hachée

125 g de ricotta

sel et poivre du moulin

Pour 4 personnes

Pour faire l'huile de romarin, mettez tous les ingrédients dans une petite casserole, faites chauffer doucement jusqu'à ce que le mélange soit tiède, laissez reposer environ 15 min. Ajoutez du sel et du poivre du moulin. Avec un petit couteau aiguisé, entaillez les côtés des blancs de poulet et remplissez-les de la farce. Bardez chaque blanc d'une tranche de jambon. Placez le poulet farci dans un plat à rôtir, versez dessus l'huile de romarin et faites cuire dans un four préchauffé à 200 °C, th. 6, pendant 20 min. Sortez du four et servez aussitôt avec les pommes de terre aillées cuites au four et une salade verte.

Faisan braisé
aux pommes, au fenouil et à la sauge

Un plat à déguster en hiver, qui peut aussi être cuisiné avec du poulet, de la pintade, de la caille, et autres volailles. Oubliez le fenouil si vous n'en trouvez pas, ce plat est tout aussi bon sans lui.

Faites chauffer l'huile d'olive dans une large poêle, ajoutez les morceaux de faisan et faites-les dorer de tous côtés. Transvasez le faisan dans une marmite allant au four. Faites frire le bacon dans la poêle jusqu'à ce qu'il soit bien doré, puis mettez-le dans la marmite. Ajoutez la farine (facultatif) dans la poêle, et faites-la dorer. Ajoutez le jus de pomme, le bouillon, la sauge et le persil, portez à ébullition puis versez le tout sur le faisan. Assaisonnez, ajoutez le fenouil, mettez sur le feu et portez à ébullition. Transférez dans un four préchauffé et faites cuire à 200 °C, th. 6, pendant 45 min environ, ou jusqu'à ce que la viande soit bien tendre. Retirez les herbes. Mettez le beurre dans une petite casserole, ajoutez les tranches de pomme et une pincée de sucre, et faites-les dorer. Versez-les sur le faisan juste au moment de servir. Servez avec de la purée à l'ail.

un plat d'hiver avec une **sauce**

15 cl environ d'huile d'olive

2 faisans, découpés en 8

6 tranches de bacon pas trop maigre, coupé en dés

1 cuil. à soupe de farine (facultatif)

15 cl de jus de pomme

30 cl de bouillon de volaille

2 à 4 brins de sauge

6 brins de persil plat

1 bulbe de fenouil, coupé en grosses lamelles

25 g de beurre

2 pommes reinettes ou cox, coupées en tranches

1 pincée de sucre

sel et poivre du moulin

Pour 4 à 6 personnes

aux pommes à la saveur parfumée

Pâtes

Pappardelle
à la sauce aux olives et au persil

Pour réussir cette recette, vous pouvez utiliser des pâtes aux œufs de qualité supérieure, ou bien des pâtes fraîches provenant d'un bon traiteur italien.

Pour faire la sauce, faites chauffer une cuillère à soupe d'huile d'olive dans une poêle, ajoutez l'échalote et faites-la blondir. Ajoutez les autres ingrédients constituant la sauce, et laissez mijoter pendant 10 min, puis versez le mélange dans un mixeur et réduire en purée. Faites bouillir une grande casserole d'eau salée, jetez-y les pâtes et laissez-les cuire selon les instructions du paquet de façon à ce qu'elles soient *al dente.* Égouttez et servez immédiatement dans des grandes assiettes creuses préchauffées. Versez la sauce et émiettez l'origan frais haché.

500 g de pappardelle de qualité supérieure

4 cuil. à soupe d'origan frais, pour garnir

Sauce aux olives et au persil

15 cl d'huile d'olive

1 petite échalote, finement émincée

125 g d'olives vertes

2 gousses d'ail, écrasées

4 tomates finement hachées

le zeste et le jus de 1 citron

1 bouquet de persil plat frais

1 bouquet d'origan frais

sel et poivre du moulin

Pour 4 personnes

Gnocchi aux épinards
et au confit d'oignons

Un plat très convivial aux oignons doux dans une sauce à la crème, cuisinés avec des gnocchi aux épinards et du parmesan.

Pour faire la confiture d'oignons, faites chauffer l'huile dans une grande poêle, puis ajoutez les oignons émincés et remuez. Couvrez la poêle d'un couvercle et faites blondir les oignons, en veillant à ce qu'ils ne brûlent pas, et ajoutez un peu d'huile d'olive au besoin. Ajoutez les autres ingrédients de la confiture d'oignons et faites-les mijoter. Pendant ce temps, jetez les gnocchi dans l'eau bouillante salée pendant quelques minutes, jusqu'à ce qu'ils remontent à la surface. Égouttez et mélangez-les à la sauce. Répartissez le tout dans un plat à gratin, saupoudrez de parmesan, et faites cuire dans un four préchauffé à 200 °C, th. 6, pendant 15 à 20 min. Poivrez et servez aussitôt.

500 g de gnocchi aux épinards ou nature

50 g de parmesan frais et râpé

poivre du moulin

Confit d'oignons

2 cuil. à soupe d'huile d'olive

500 g d'oignons, finement émincés

1 gousse d'ail, écrasée

15 cl de crème fraîche liquide

2 œufs, légèrement battus

Pour 4 personnes

Ravioli au potiron
à la sauce de potiron et de fenouil

L'huile d'olive et le fenouil haché rehaussent les arômes de la sauce et de la farce de cette exquise recette aux ravioli.

1 œuf

250 g de farine complète

eau

Farce des ravioli

2 cuil. à soupe d'huile d'olive

500 g de potiron (ou de courge) pelé et détaillé en cubes

1 cuil. à soupe de fenouil frais finement haché

sel et poivre du moulin

Sauce au potiron et au fenouil

2 cuil. à soupe d'huile d'olive extra-vierge

250 g de potiron (ou courge) pelé et détaillé en cubes

1 échalote ou 1 petit oignon, finement émincé

2 cuil. à soupe de fenouil frais finement haché

sel et poivre du moulin

parmesan frais râpé pour servir

Pour 4 personnes

Pour faire la farce, faites chauffer l'huile dans une poêle, et faites revenir les cubes de potiron à feu très doux pendant 20 min, jusqu'à ce qu'ils soient très tendres. Ajoutez le fenouil, le sel et le poivre. Pour faire la pâte, mélanger l'œuf et la farine, en ajoutant suffisamment d'eau pour former une pâte consistante mais lisse. Couvrez et laissez reposer la pâte pendant 40 min. Au moyen d'une roulette à pâtisserie, découpez une bande de pâte de 12 cm de large. Étalez 2 rangées de farce (espacées de 2,5 cm) sur la moitié supérieure de la bande de pâte, à 2,5 cm du haut et du bas de la portion de bande. Humectez les bords et la bandelette de pâte du milieu. Rabattez la moitié inférieure de la bande de pâte, aplatissez-la et scellez les bords de pâte de chaque côté de la farce. Coupez les carrés au moyen de la roulette à pâtisserie. Mettez les ravioli farcis au frais. Pour faire la sauce, faites chauffer l'huile dans une casserole, ajoutez le potiron et l'échalote et faites revenir le tout. Ajoutez le fenouil, le sel et le poivre. Faites cuire les ravioli dans une grande casserole d'eau bouillante salée pendant 4 à 5 min. Répartissez-les dans 4 grandes assiettes creuses, versez la sauce par-dessus, saupoudrez de parmesan et servez aussitôt.

une **sauce délicieuse** et colorée accompagne ces ravioli

qui peuvent être farcis au fromage ou aux **légumes**

Riz

Riz à la betterave

Pour une saveur exeptionnelle, faites rôtir vous-même la betterave.

250 g de betterave cuite, pelée et coupée en dés ou 500 g de betterave fraîche, non pelée.

2 cuil. à soupe d'huile d'olive

1 petit oignon finement émincé

350 g de riz pour risotto

35 cl de bouillon de légumes chaud

sel marin et poivre du moulin

Pour présenter

feuilles de sauge fraîches hachées

parmesan frais râpé

Pour 4 personnes

Si vous utilisez des betteraves fraîches, faites-les rôtir dans un four préchauffé à 200 °C, th. 6, pendant 30 min. Pour faire le risotto, faites chauffer l'huile dans une poêle, ajoutez l'oignon, et faites-le blondir. Incorporez le riz, ajoutez une louche de bouillon de légumes chaud, mélangez et laissez le riz absorber le bouillon. Incorporez les betteraves détaillées en dés, ajoutez plus de bouillon et laissez mijoter jusqu'à absorption du bouillon. Répétez l'opération jusqu'à ce que tout le bouillon soit utilisé. Servez avec du parmesan en morceaux et de la sauge hachée.

toute la **saveur** de la tomate

rehaussée d'un pistou savoureux

Risotto à la tomate
et au pistou

Le risotto peut être accommodé de bien des façons, mais la tomate et le pistou sont particulièrement savoureux. Confectionnez vous-même votre propre pistou à la saison du basilic, en suivant la recette de la page 21, ou achetez du pistou de bonne qualité. Prenez des tomates bien mûres qui conviennent bien à cette recette - vous pouvez aussi les cuire à l'avance, à feu très doux dans un four peu chaud, de façon à ce que le jus s'évapore, en laissant une saveur intense et concentrée.

500 g de tomates mûres, émincées

1 gousse d'ail, écrasée

2 cuil. à soupe d'huile d'olive

1 oignon émincé

350 g de riz pour risotto

35 cl de bouillon de légumes

sel et poivre du moulin

Pour présenter

4 cuil. à soupe de pistou (voir page 21)

parmesan râpé

Pour 4 personnes

Mettez les tomates émincées et l'ail dans un plat allant au four, assaisonnez de poivre et de sel, puis faites cuire dans un four préchauffé à 160 °C, th. 3, pendant 1 h. Faites chauffer l'huile d'olive dans une casserole, ajoutez l'oignon et faites-le dorer. Incorporez le riz, puis ajoutez une louche de bouillon de légumes, mélangez et attendez que le riz ait absorbé tout le bouillon. Ajoutez davantage de bouillon, mélangez et laissez mijoter jusqu'à absorption complète du bouillon. Répétez l'opération jusqu'à ce qu'il ne vous reste plus de bouillon. Goûtez et rectifiez l'assaisonnement. Pour servir, couronnez les tomates avec une cuillerée de pistou et saupoudrez de parmesan râpé.

Légumes

Ragoût méditerranéen
aux légumes

Choisissez vous-même vos légumes, selon la saison. Les jeunes artichauts et les fèves sont particulièrement savoureux.

Faites blanchir les courgettes dans une casserole d'eau bouillante salée. Retirez-les et réservez. Mettez les oignons dans l'eau et faites-les bouillir jusqu'à ce qu'ils soient tendres, puis retirez-les et réservez. Faites blanchir les champignons dans l'eau bouillante, puis égouttez-les. Mettez les ingrédients de la marinade dans une grande casserole, portez à ébullition, ajoutez les légumes préalablement blanchis et laissez mijoter 10 min environ. Laissez refroidir, mettez le tout dans un saladier, couvrez et placez au réfrigérateur pendant quelques jours pour libérer les arômes. Arrosez d'un filet d'huile d'olive extra-vierge et servez avec du pain de campagne grillé.

500 g de petites courgettes

250 g d'oignons au vinaigre

250 g de champignons de Paris

huile d'olive extra-vierge, pour servir

Marinade

30 cl d'eau

le jus de 3 citrons

30 cl d'huile d'olive

2 brins de thym

1 bouquet de persil plat, frais

4 feuilles de laurier

1 petite branche de céleri, avec ses feuilles

10 grains de poivre

10 olives vertes

Pour 4 personnes

Aubergines marinées

1 échalote

2 feuilles de laurier frais

2 cuil. à café de sel

30 cl de vinaigre

60 cl d'eau

1 kg de petites aubergines

8 gousses d'ail entières

2 piments rouges frais

brins de romarin

huile d'olive

Pour 2 bocaux de 1 litre

Mettez l'échalote, les feuilles de laurier, le sel, le vinaigre et l'eau dans une casserole et portez à ébullition. Ajoutez les aubergines et posez une assiette dessus pour les maintenir immergées. Laissez mijoter pendant 10 min, puis égouttez-les. Versez l'eau bouillante dans 4 pots de grès et mettez-les au four à 150 °C, th. 2, pendant 5 min. Retirez-les, essuyez-les, puis ajoutez les aubergines, l'ail, les piments et le romarin. Recouvrez d'huile d'olive, jusqu'à 1,5 cm du bord du pot. Scellez les pots, placez-les dans un plat à rôtir rempli d'eau, et mettez-les au four à 150 °C, th. 2, pendant 15 min. Laissez refroidir, puis mettez-les au réfrigérateur pendant 2 jours. Consommez-les dans un délai d'un mois, sur des bruschette ou avec des pâtes.

Poivrons grillés
marinés dans l'huile citronnée

8 poivrons rouges ou jaunes

le zeste de 1 citron

30 cl environ d'huile d'olive extra-vierge

Pour 4 bocaux de 30 cl

À déguster tels quels, sur des bruschette ou avec des pâtes.

Faites griller les poivrons sur toutes les faces jusqu'à ce que les peaux soient boursouflées et noircies. Enveloppez-les dans du film alimentaire pendant 3 à 5 min. Pelez-les, retirez les queues et les graines, coupez-les en deux, et mettez-les dans un bocal en verre. Ajoutez le zeste de citron, puis recouvrez-les d'huile d'olive. Laissez au frais 2 à 5 jours et consommez-les dans un délai d'une semaine.

Pois chiches épicés
aux aubergines et aux tomates

L'huile d'olive, qui sert à braiser les aliments, révèle toute la saveur des pois chiches. Si vous êtes pressé, prenez des pois chiches en boîte qui conviendront très bien pour réussir cette recette du Moyen-Orient. Servez avec du riz au safran et pour accompagner des plats comme du filet d'agneau pané.

Faites chauffer l'huile d'olive dans une grosse casserole, ajoutez l'oignon émincé et l'ail et faites-les blondir doucement. Incorporez les autres ingrédients, portez à ébullition et laissez mijoter jusqu'à ce que la sauce tomate ait légèrement épaissi. Servez aussitôt.

6 cuil. à café d'huile d'olive extra-vierge

1 oignon finement émincé

1 gousse d'ail, écrasée

1/2 cuil. à café de curcuma

1 petite pincée de coriandre en poudre

1 petite pincée de cumin en poudre

1 aubergine détaillée en dés

500 g de tomates mûres, pelées, épépinées et finement hachées

2 cuil. à soupe de vin rouge ou de bouillon

375 g de pois chiches, fraîs ou en boîte

sel marin et poivre du moulin

Pour 4 personnes

un délicieux plat principal

pour les végétariens ou une **exquise** entrée

Gâteau à la polenta
à l'orange et au citron

L'huile d'olive peut remplacer le beurre dans les gâteaux. Si vous ne voulez pas que son goût soit trop prononcé, adoptez une huile légère en goût plutôt que des huiles d'olive espagnoles ou grecques. La polenta donne au gâteau une agréable saveur de noisette. Servez-le nature ou avec de la crème fraîche et un verre de vin blanc sucré.

Mettez l'orange et le citron dans une casserole et recouvrez-les d'eau froide. Portez à ébullition et faites cuire pendant 30 min jusqu'à ce qu'ils soient très souples. Égouttez-les et réservez-les. Laissez-les refroidir. Mettez-les dans un mixeur et réduisez en purée. Battez les œufs au batteur électrique pour obtenir une crème blanche et mousseuse (pendant 5 à 10 min), puis incorporez le sucre. Mélangez la farine avec le bicarbonate de soude et le sel, et incorporez-le mélange aux œufs battus, puis ajoutez l'huile d'olive et mélangez. Ajoutez la polenta et la purée de fruits. Versez la pâte dans un moule de 20 cm de diamètre. Faites cuire dans un four préchauffé à 180 C, th. 4, pendant 50 min environ. Vérifiez la cuisson en insérant une pointe au centre du gâteau. Retirez du four, posez sur une grille, saupoudrez de sucre glace, et une fois que le gâteau a refroidi, démoulez-le. Servez nature, ou accompagné de crème fouettée ou de crème fraîche.

... et une douceur sucrée

1 orange

1 citron

4 œufs

125 g de sucre
en poudre

200 g de farine
complète

3 cuil. à café de
bicarbonate de soude

1 pincée de sel

30 cl d'huile d'olive

125 g de polenta

sucre glace,
pour décorer

3 cuil. à soupe
de crème fraîche
(facultatif), pour servir

Pour 8 personnes

Index